CW00868555

Mae'r llyfr

DREF WEN

hwn yn perthyn i:

_____

_____

_____

_____

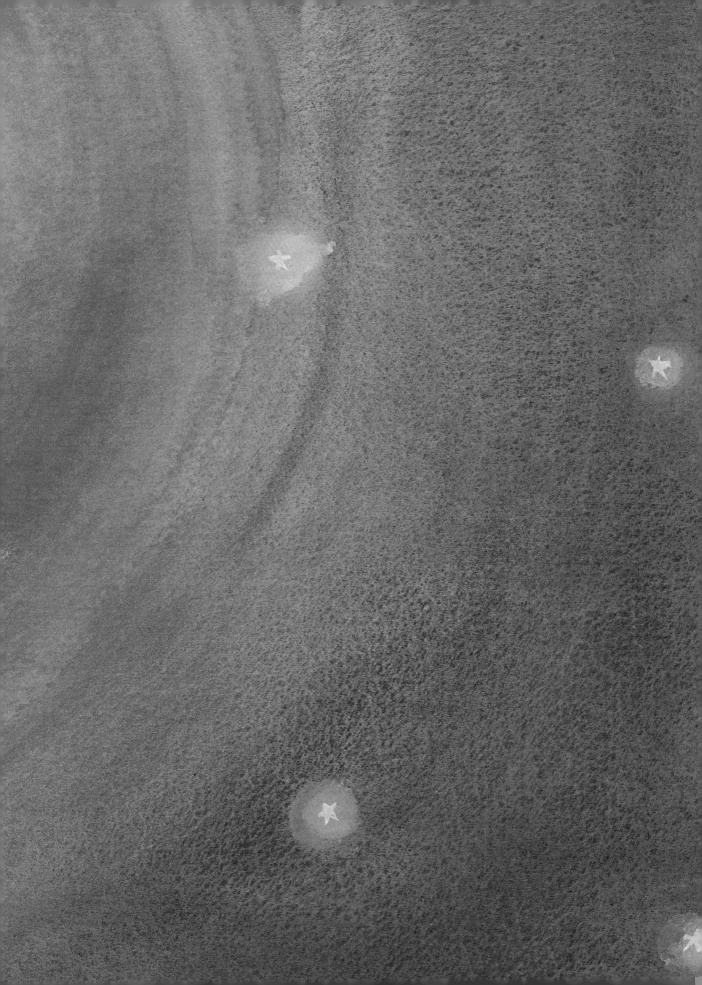

Testun a lluniau © Sally Chambers 2002
Y cyhoeddiad © 2002 Dref Wen Cyf.

Mae Sally Chambers wedi datgan ei hawl i gael ei hadnabod fel awdur y gwaith hwn
yn unol â deddf hawlfraint, Dyluniadau a Phatentau 1988.

Cedwir pob hawlfraint. Ni chaiff unrhyw ran o'r llyfr hwn ei hatgynhyrchu
na'i storio mewn system adferadwy na'i hanfon allan mewn unrhyw ffordd
na thrwy unrhyw gyfrwng electronig, peirianyddol, llungopïo, recordio nac
unrhyw fordd arall, heb ganiatâd ymlaen llaw gan y cyhoeddwyr.

Cyhoeddwyd gyntaf yn Saesneg 2002
gan Piccadilly Press Cyf, 5 Castle Road,
Llundain NW1 8PR,
dan y teitl *Toffee's night noises*
Cyhoeddwyd yn Gymraeg 2002 gan Wasg y Dref Wen
28 Ffordd yr Eglwys, Yr Eglwys Newydd,
Caerdydd CF14 2EA
Ffôn 029 20617860.

Argraffwyd yng Ngwlad Belg.

Hefyd gan Sally Chambers o Wasg y Dref Wen

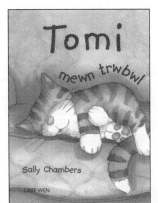

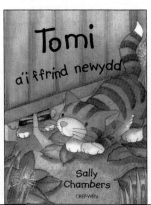

Tomi a sŵn y nos

Sally Chambers

Trosiad Hedd a Non ap Emlyn

DREF WEN

Mae'r haul yn machlud.
Mae hi ar fin nosi.
Mae Tomi'n hoffi'r nos.

Mae pawb yn paratoi
i fynd i'r gwely.

Rhaid cau'r ffenestri.
Clep! Clep!

Rhaid cloi'r drysau.
Clec! Clec!

Rhaid cau'r llenni.
Swish! Swish!

Rhaid
glanhau'r
dannedd
yn lân.
Brwsio!
Brwsio!

Rhaid diffodd
y golau.
Clic! Clic!

Nos da, Mam!
Nos da, Dad!
Nos da, Tomi!

Mae'r tŷ yn dawel iawn.
Mae pawb yn cysgu.

Ond mae'r ardd yn llawn sŵn.
Mae holl greaduriaid y nos yn deffro.

Mae'r gwyfynod yn hymian o gwmpas y golau.

Mae Tomi'n mwynhau gwylio'r gwyfynod.

Mae'r llygod wedi dod allan
hefyd. Mae Tomi'n gallu eu clywed
nhw'n crafu o dan y sied.
Crafu! Crafu! Crafu!

Ac mae'r gwdi-hŵ
yn hwtian o dan y
lleuad.

**Tw-whit, tw-hŵ
Tw-whit, tw-hŵ.**

Mae'r cloc yn taro i ddweud
yr amser. Mae'n hwyr iawn.
Mae Tomi'n clywed twrw'r
traffig yn y dref. Dydy hi
byth yn dawel yno.

Yn sydyn, mae Tomi'n clywed sŵn rhyfedd.

Beth yw'r sŵn
'na tybed? Mae
Tomi'n aros yn
llonydd.

Yna, mae'r sŵn yn uwch.

Crash!

Bang!

Clec!

Mae Tomi'n dringo'r goeden yn gyflym.

Bow!
Wow!
Wow!

Dim ond y ci drws nesa sydd yno. Mae llais yn galw, "Carlo!" Yna, mae pobman yn dawel unwaith eto.

Mae hi ar fin gwawrio.
Mae'r ardd yn dawel.
Mae'r lleuad yn edrych
yn gysglyd.

Mae'r haul yn codi ac
mae'r adar yn canu i
groesawu diwrnod newydd.
Mae sŵn lleisiau i'w clywed –
y dynion lludw sydd yno.

Mae'r biniau'n *cloncian*, ac yna mae'r lori'n *crensian* ei llwyth.

Mae sŵn y nos wedi diflannu ac mae'n
fore erbyn hyn.
Yna mae Tomi'n clywed sŵn mae e'n ei
hoffi'n fawr.

Tomi!

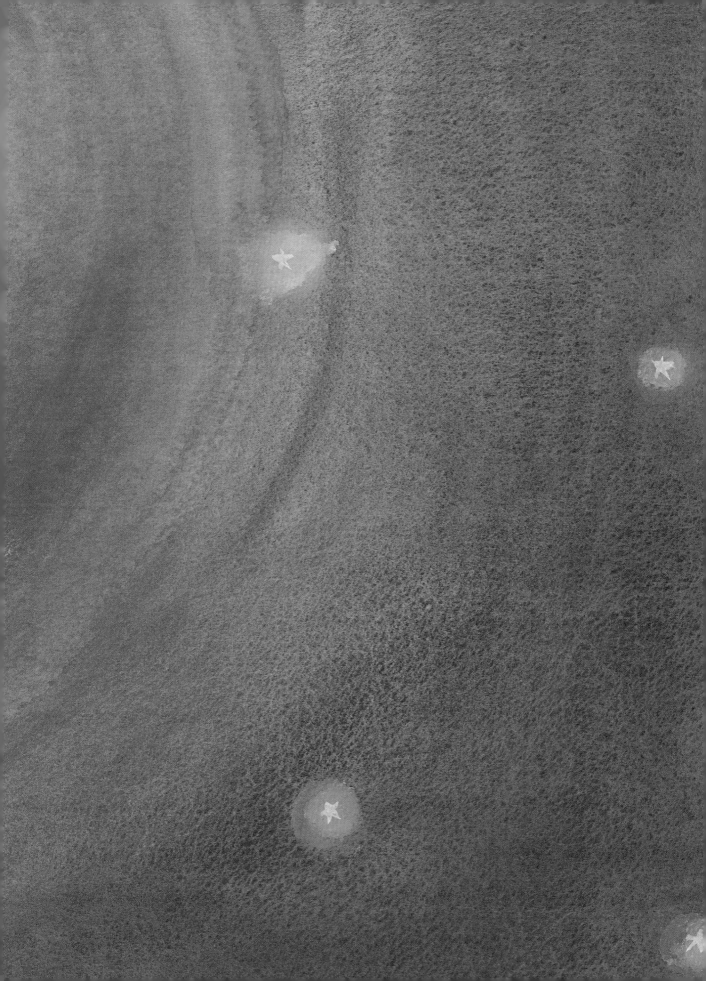

Storïau lliwgar difyr o'r
DREF WEN
mewn cloriau meddal

Dref Wen Cyf. 28 Church Road, Yr Eglwys Newydd, Caerdydd CF14 2EA
Ffôn 029 20617860 e-bost info.drefwen@btinternet.com